# GWYLIAU'R BWSI BERYGLUS

# ANNE FINE

# Gwyliau'r
# BWSI BERYGLUS

*Darluniau*
## Steve Cox

*Addasiad*
## Gareth F. Williams

**RILY**

**Gwyliau'r Bwsi Beryglus**
**ISBN 978-1-84967-186-6**

Cyhoeddwyd gan Rily Publications Ltd
Blwch Post 20,
Hengoed CF82 7YR

Addasiad gan Gareth F. Williams
Hawlfraint yr addasiad © Rily Pulications Ltd 2014

Hawlfraint y testun gwreiddiol: © Anne Fine 1994
Hawlfraint y darluniau: © Steve Cox 1994

Cyhoeddwyd gyntaf ym Mhrydain yn 1994 gan Hamish Hamilton Ltd,
Argraffnod o Penguin Books Ltd, 80 Strand, Llundain WC2R 0RL.
Cyhoeddwyd yn wreiddiol yn Saesneg o dan y teitl *The Return of the Killer Cat.*

Cysodwyd mewn 17/21 pt Bembo
gan Wasg Dinefwr, Llandybïe, Sir Gaerfyrddin
Argraffwyd a rhwymwyd ym Mhrydain
gan CPI Group (UK) Ltd, Croydon, CR0 4YY

Cyhoeddwyd gyda chymorth ariannol
Cyngor Llyfrau Cymru.

**www.rily.co.uk**

# Cynnwys

# 1: Dechrau'r stori

OCÊ, OCÊ! Rhowch slap i mi ar draws fy mhawennau bach blewog, del. Mi wnes i lanast.

Go iawn!

Ac ocê! Tynnwch fy nghynffon! Un gath yn gyfrifol am fil o droseddau.

Felly be dach chi am ei wneud? Cipio fy mhowlen fwyd a 'ngalw'n bwsi ofnadwy?

Ond dydan ni'r cathod ddim *i fod* i lolian o gwmpas y lle fel cŵn, yn ufudd i gyd, a syllu'n llywaeth i fyw eich llygaid cyn mynd i nôl eich sliperi.

Rydan ni'r cathod yn rheoli ein
bywydau ein hunain.

Dwi'n hoffi rheoli f'un i. Ac os oes 'na
un peth dwi'n ei gasáu, gwastraffu'r
dyddiau a'r nosweithiau pan fydd y
teulu i ffwrdd ar eu gwyliau ydi hynny.

'O, Twffyn!' meddai Elin yn llawn
pryder, gan roi'r Cwtsh Ffarwél Mawr i
mi. (Rhoddais i'r edrychiad oeraidd

hwnnw 'nôl iddi sy'n deud, 'Gofalus, El!
Cwtsh, ia – gwasgiad, na. Neu'r Crafiad
Mawr fydd hi, hogan.') 'O, Twffyn!
Byddwn ni i ffwrdd am wythnos gyfan!'

Wythnos gyfan? O, am eiriau
prydferth! Wythnos gyfan o dorheulo yn
y border blodau heb gael mam Elin yn
sgrechian: 'Twffyn! Allan o fan'na!
Rwyt ti'n difetha'r blodau!'

Wythnos gyfan o ddiogi ar ben y teledu heb gael tad Elin yn hefru'n ddiddiwedd: 'Twffyn! Symud dy gynffon! Mae hi'n hongian dros geg y gôl!'

Ac i goroni'r cwbwl, wythnos gyfan o beidio cael fy nghodi'n drwsgl a'm stwffio i mewn i'r hen fasged wellt wirion 'na drws nesa a chael mwythau gan Mali, ffrind sopi Elin.

'Www, rwyt ti mor lwcus, Elin! Hoffwn i gael anifail anwes fel Twffyn. Mae o mor feddal a blewog.'

Wel, wrth gwrs fy mod i'n feddal a blewog. *Cath* ydw i.

Ac un glyfar, hefyd. Yn ddigon clyfar i ddeall nad Mrs Tomos oedd yn dod i 'ngwarchod i a'r tŷ, fel yr arfer . . .

'. . . na, mae hi wedi gorfod mynd ar frys i Ddinbych at ei merch . . . felly os

ydach chi'n digwydd gwbod am rywun
fasa'n fodlon gneud . . .

. . . mond am chwe niwrnod . . . wel, os
ydach chi'n *siŵr*, Ficar. Ia, wel. Cyn
belled eich bod chi'n mwynhau cwmni
cathod . . .'

Beth ydi'r ots os ydi'r ficar yn mwynhau? Y fi ydi'r gath.

## 2: Cartref clyd? Celwydd!

O-O! MR Taclus!

'Oddi ar y clustogau 'na, Twffyn! Dwi ddim yn meddwl y dylat ti ddiogi ar y soffa fel'na.'

Sgiwsiwch fi! Oedd y ficar yma'n gwybod efo pwy roedd o'n siarad? Be goblyn o'n i i *fod* i wneud? Sgwrio'r llawr? Teipio pregeth iddo fo ar y cyfrifiadur? Trin yr ardd?

'Twffyn! Paid â chrafu'r dodrefn.'

Hel–ôôô? Tŷ pwy ydi hwn? Y fo? Neu fi? Os dwi'n teimlo fel crafu'r dodrefn, dyna be wna i.

A'r gwaethaf un: 'Na, Twffyn! Dwi
ddim am agor tun newydd nes dy fod di
wedi gorffen hwn.'

Cymerais sbec ar 'hwn'. Roedd o'n
galed. Yn lympiau i gyd. Bwyd ddoe
oedd o.

A do'n i ddim am ei fwyta fo.

Cerddais i ffwrdd. Y peth olaf a
glywais oedd y ficar yn galw ar fy ôl i:
'Tyrd yn ôl i orffen dy swper.'

Dim peryg! Allan â fi. Es i gwrdd â'r
criw – Teigar a Bela a Meri Mew – a

chwyno wrthyn nhw nad o'n i wedi cael
swper. Roedd eisiau bwyd arnyn nhw
hefyd, felly dyma ni'n eistedd ar y wal a
mewian wrth i ni drio penderfynu beth
i'w fwyta.

'Sgen ti awydd crafu'r peparôni oddi
ar hen bitsa?'

'Sgodyn heb sglodion?'

'Dwi'n tagu am stecsan.'

'Hei, beth am stribedi o gig eidion wedi'i ffrio, efo'r saws soi wedi'i grafu i ffwrdd?'

Bwyd Tsieineaidd amdani, felly. (Dwi wedi mopio efo'r *char siu* 'na!) Aeth Teigar am dro i lawr y stryd gefn, gan ddilyn ei drwyn nes iddo ddod o hyd i'r lle iawn, ac yno buon ni'n chwarae 'Rhwygo'r Bagiau'. (Gêm y mae pawb yn ei hennill.) Ymhen chwinciad chwannen, roedd yna swper bendigedig ar ben y wal.

'Blasus iawn.'

'Ardderchog.'

'Dewis da. Rhaid i ni gofio bwyta yma'n amlach.'

'A digon ohono fo. Dyma deulu sy'n mwynhau gwastraffu bwyd da.'

Yn wahanol i fy mêt, y ficar. Y bore wedyn, dyna lle roedd o'n dal i wthio'r

bwyd sych hwnnw arna i. 'Twffyn, dwi ddim am agor tun newydd. Mi fasat ti'n bwyta hwn tasat ti ar lwgu.'

O, faswn i wir? Go brin, mêt.

Tra oedd o'n disgwyl, syllodd y ficar allan drwy'r ffenest. 'Sbia ar y llanast sydd yn yr ardd! Hen bapurau seimllyd! Bocsys bwyd wedi'u rhwygo'n ddarnau! Ac ro'n i'n effro am oriau, diolch i'r mewian a'r nadu ofnadwy 'na. Paid ti â meddwl dy fod yn mynd allan eto heno.'

Falla fy mod i'n fyddar i ryw hen swnian, ond mae gen i glustiau. Diolch am y rhybudd, Barchedig! Sleifiais i fyny'r grisiau a phawennu'r gliciad ar ffenest y stafell ymolchi nes ei bod hi fel ro'n i eisiau: i lawr ddigon nes ei bod yn edrych fel tasa hi'n dal ar gau ers ddoe; ond i fyny ddigon i mi fedru ei hagor ag un ergyd bawen-aidd.

Ac ynglŷn â'r llanast hwnnw yn yr ardd – chwarae teg! Wedi'r cyfan, fy mrecwast i oedd o.

## 3: Camgymeriad!

OCÊ, OCÊ! Falla fod cynnal y Noson Lawen neithiwr reit o dan ffenest stafell wely'r ficar braidd yn greulon. Canodd Bela 'Un Dyyyyyydd ar y Troooo'. Canodd Teigar 'Ar Laaaan y Môôôôr'. Iodlo fel cath o'r Swisdir wnaeth Meri Mew, ac mi wnes innau ddynwared Elin yn cau drws y car ar ei bys.

Ond doedd dim angen i'r ficar wylltio cymaint, chwaith. 'Os ga i afael yn unrhyw un ohonoch chi, yna dyn a'ch helpo!'

Ddois i ddim adra'n gynnar. Ond mae
angen cwsg ar bawb, felly crwydrais yn
ôl wedi i'r criw wahanu. Roedd yn fore
bendigedig. Ond roedd ei lais o'n
difetha'r cwbwl. Ro'n i'n gallu ei
glywed o'n brefu dair stryd i ffwrdd.

'Twff-yyyyn! *Twwww*-ffyn!'

Sleifiais ymlaen yng nghysgod gwrych drws nesa. Roedd Mali'n pwyso drosto. 'Ymm, Ficar Brynmor,' gofynnodd hi gan dorri ar ei draws. 'Ydi gweddïo'n *gweithio*?'

Syllodd arni fel tasa hi wedi gofyn rhywbeth fel, 'Ydi trenau'n bwyta cwstard?'

Triodd Mali eto. 'Rydach chi wastad yn deud wrth bobol, "Gadewch i ni weddïo". Wel, ydi o'n gweithio?'

'Gweithio?'

'Ia. Ydi pobol yn cael beth bynnag maen nhw'n gweddïo amdano fo? Taswn i'n gweddïo'n galed iawn, iawn, iawn am rywbeth, faswn i'n ei gael o?'

'Sut fath o beth?' gofynnodd Ficar Brynmor iddi hi'n amheus.

Rhoddodd Mali ei dwylo ynghyd. 'Anifail anwes fy hun, i'w gwtsio. Un sy'n gynnes ac yn flewog ac yn feddal, 'run fath â Twffyn – sy yma y tu ôl i'r gwrych.'

O, diolch yn fawr iawn, Mali! I ffwrdd â fi. Ac yntau ar fy ôl i. Dyna pam, yn hytrach na dringo i fyny'r goeden afalau fel arfer, neidiais ar handlen y peth-torri-gwair ac i fyny i'r goeden gellyg.

Ond ar ôl i chi gyrraedd i ben honno, mi welwch chi mai dim ond dau ddewis sy 'na . . .

Gallwch neidio oddi ar y gangen uchaf i mewn drwy ffenest y stafell ymolchi – sy rŵan ar gau ac wedi'i chloi. (O–o! Mae'r ficar wedi dallt sut bydda i'n dianc!)

Neu mi fedrwch chi fynd yn ôl i lawr,

a neidio oddi ar y gangen isaf ar handlen
y peth-torri-gwair, ac i lawr ar y
glaswellt eto.

Ond roedd hynny – diolch i'r ffaith
fod y peth-torri-gwair wedi symud wrth
i mi neidio – yn amhosib erbyn hyn.

## 4: *Yn gaeth ar ben y goeden*

CHWARAE TEG IDDO FO, mi driodd o
bob dim. Cŵan fel colomen. Crefu.
Ac erfyn. (Does yna fawr o wahaniaeth
rhwng crefu ac erfyn, ond bod erfyn yn
fwy fel swnian.)

Yna mi driodd o fy mygwth i.
'Fydd 'na ddim swper i ti, Twffyn.'
(O gofio safon gwael y bwyd, doedd
hynny'n fawr o fygythiad.)

Yna trodd yn gas. 'Mi gei di aros yna
nes i ti bydru, 'ta, Twffyn!' (Ia, neis iawn.)

Ond y peth oedd, do'n i ddim yn smalio
mod i'n sownd.

Ro'n i'n hollol sownd – go iawn.
Dydach chi erioed yn meddwl fy mod i
wedi *dewis* treulio hanner y bore ar un
ochr y goeden, yn gwrando arno fo'n
mynd yn fwy a mwy blin . . .

'Tyrd i lawr ar unwaith, Twffyn!
Rŵan!'

. . . a'r hanner arall ar ochr arall y
goeden, yn gwrando ar Mali ar ei

gliniau, a'i dwylo efo'i gilydd a'i llygaid
wedi cau, yn gweddïo a gweddïo . . .

'O, plis, plis ga i rywbeth bach meddal
a blewog, yn union fel Twffyn drws
nesa, i'w gadw yn fy masged wellt a'i
gwtsio. Mi gaiff o'r clustog mwyaf
cyfforddus yn wely, a hufen a thiwna
ffres i'w fwyta.'

Hufen! Tiwna ffres! Doedd yr hulpan
ddim yn sylweddoli nad o'n i wedi cael
brecwast?

Ymhen dim o dro, fedrwn i ddim diodde gwrando rhagor. Symudais yn ôl at ochr arall y goeden. (Ydach chi'n gweld bai arna i?)

Erbyn hyn, roedd eisiau bwyd ar y ficar hefyd. Rhoddodd y gorau i fy mygwth ac aeth i mewn i wneud ei frecwast. (Dim bwyd ddoe i'r Parchedig, sylwais. Daeth arogl hyfryd bacwn a selsig drwy'r ffenest.)

Maen nhw'n dweud bod brecwast yn dda i'r ymennydd. Mi wnaeth fyd o les i'w feddwl bach o, beth bynnag, oherwydd, munudau'n ddiweddarach, daeth yn ôl i'r ardd yn cario stôl.

A sefyll arni.

Ond roedd o'n dal yn methu fy nghyrraedd i.

Do'n i ddim yn trio tynnu'n groes. Ro'n i'n wirioneddol eisiau dod i lawr o'r goeden.

Tasa fo wedi llwyddo i ymestyn yn
ddigon uchel, mi faswn i wedi neidio i
lawr ac i mewn i'w freichiau.
(Falla'n wir y baswn i wedi'i grafu fo
ryw fymryn, ond hei, mae cathod yn
enwog am fod yn bethau anniolchgar,
felly pam poeni?)

Yn wir, mi wnes i 'ngorau glas i'w
helpu, drwy gropian tuag ato ar
hyd y gangen. Ond dechreuodd y
gangen blygu. (Mae'n anodd aros ar
ddeiet, yn dydi?) Ac wrth i'r gangen
droi'n fwy tenau tuag at y pen pellaf,
ro'n i'n pwyso'n drymach arni nes ei bod

yn dechrau edrych yn debycach i lethr sgio.

Doeddwn i ddim am fentro modfedd ymhellach, felly arhosais yn y fan a'r lle.

Ond roedd yn edrych fel petai gwylio'r gangen yn plygu dan fy mhwysau wedi rhoi syniad i'r ficar . . .

## 5: Athrylith!

AETH Y FICAR i mewn i'r garej a dod yn ôl efo rhaff go hir. Daeth at y goeden. Dringodd i ben y stôl a thaflu'r rhaff dros fy nghangen i.

'Reit!' meddai'n benderfynol. 'Cwlwm go dynn amdani!'

Mewiais yn uchel. Oedd o am fy *nghrogi* fi? Fydda i ddim yn aml yn dyheu am allu siarad, ond wir i chi, y funud honno baswn i wedi rhoi'r byd am gael brysio drws nesa at Mali a deud: 'Hei, Pwtan! Rho'r gorau i weddïo am bethau bach blewog, meddal, a galwa'r cops. Mae'r ficar yma'n trio fy lladd i!'

Siaradai efo fo'i hun wrth glymu'r cwlwm. 'Rownd, ac yna trwodd, rownd eto a thrwodd eto.'

(A minnau'n mewian drwy hyn i gyd.)

Tynnodd y cwlwm yn dynn a rhoi plwc i'r rhaff. Gwthiais fy ewinedd i mewn i'r gangen. I lawr â'r gangen eto, ond nid yn ddigon pell iddo fo allu fy nghyrraedd.

Dyma fo'n trio eto. Y tro hwn, llwyddodd i dynnu'r gangen fymryn yn is. (Ro'n i bron â syrthio.) Ond roedd o'n dal yn methu fy nghyrraedd.

'Neidia!' meddai. 'Neidia at ddiwedd y gangen, Twffyn!'

Sbiais arno gan agor a chau fy llygaid.

'Neidia, Twffyn!' meddai eto.

Gwgais arno fo. (Tasach chi wedi gwasgu fy llygaid ar gau efo pastwn

pren, go brin y basan nhw'n fwy cul.
Roedd y ffordd yr edrychais arno fo'n
ddigon i godi ofn ar gi rotweiler.)

'Babi swci!' meddai.

Reit, ocê! Falla fy mod i wedi poeri
ato fo. Beth ydach chi'n mynd i wneud?
Taflu'ch het ata i? Y fo wnaeth fy ngalw
i'n fabi swci! Roedd o'n gofyn amdani.

Roedd o fwy neu lai'n deud, 'Poera yn
fy llygad, Twff!'

Felly dyna be wnes i.

Gwgodd yntau'n ôl arna i.

Ac yna – yn rhyfedd iawn! Trodd yr
wg yn wên fechan.

'A-ha!' meddai.

Wyddoch chi be? Mae clywed rhywun sy ddim yn eich hoffi yn dweud 'A-ha!' fel yna'n beth annifyr. Mae'n gwneud i chi deimlo'n nerfus iawn.

Yn enwedig os ydach chi'n digwydd bod yn sownd ar ben coeden.

'A-ha!' meddai eto, a brysio'n ôl i'r garej.

A'r peth nesaf, roedd o'n gyrru'r car allan tuag am yn ôl. Ro'n i'n poeni i ddechrau – ac oedd, roedd fy ffwr yn crynu – ei fod o am yrru'r car i mewn i'r goeden. Ond arhosodd mewn pryd, a dod allan o'r car.

Safodd wrth ben-ôl y car a chlymu pen arall y rhaff yn sownd i'r bymper.

'Reit!' meddai, yn falch ohono'i hun. 'Mae hwnna'n ddigon cryf i dynnu'r gangen yna reit i'r llawr.'

Stopiais i fewian yn druenus. Roedd gen i obaith rŵan o ddod i lawr o'r goeden cyn i mi farw o henaint.

A bod yn onest, roedd y ficar wedi meddwl am ffordd wych o fy achub i. Roedd y dyn yn athrylith!

## 6: Ond, erbyn meddwl . . .

WEL, FALLA DDIM. Peidiwch â
chamddeall. Aeth bob dim yn tshampion
i gychwyn. Yn hynci-dôri. Aeth o'n ôl i
mewn i'r car, tanio'r injan a gyrru i
ffwrdd oddi wrth y goeden fel crwban
cloff –
    – yn ofalus –
    – yn ofalus –
nes i'r rhaff dynhau. Plygodd y gangen i
lawr i'r ddaear fel roedd hi i fod i'w
wneud –
    – yn is –
    – yn is –

nes bod fy ffordd yn ôl i lawr fel mynd
am dro hamddenol i lawr gallt fechan.

'Gwych! Dim problem o gwbl,'
meddwn i wrtha i fy hun, wrth gofio am
y gweddillion selsig a bacwn oedd yn
aros amdana i.

Ac i lawr y gangen â fi –

– fesul tipyn –

– fesul tipyn –

– a dyna pryd y llithrodd troed y ficar
oddi ar y brêc.

Saethodd y car ymlaen. Torrodd y rhaff
dan y straen. Trodd y gangen fforchiog yn
gatapwlt anferth –

– a throais innau o fod yn gath i aderyn.

Wîîîîî! I ffwrdd â fi! Gan hedfan reit
dros y goeden fel aderyn yn hedfan dros
enfys. (Wir i chi, er na faswn i'n dymuno

gwneud hynny eto, roedd yr olygfa o'r awyr yn fendigedig. Yn fendigedig! Gallwn weld cyn belled â'r gweithfeydd nwy.)

Ond wrth gwrs, yn hwyr neu'n hwyrach roedd yn rhaid i mi fynd i

l

    a

       w

      r.

## 7: *Sblat!!!*

SBLAT!!!

Reit i mewn i fasged fach wellt Mali.

Ia, ocê! Sdim isio i chi ypsetio!
Falla'n wir fy mod i wedi gwasgu rhai o'r
pryfetach bach oedd yn swatio
yn y clustog. Mae'n wir nad o'n i
wedyn yn gorfod pigo cyrff bach di-siâp
o'm ffwr; ond wedi dweud hynny, go
brin fod unrhyw forgrugyn wedi llwyddo
i ddianc allan o'r fasged mewn pryd.

Rhoddodd Mali'r gorau i'w gweddïo
pan glywodd hi fi'n syrthio'n glep i mewn
i'r fasged.

Agorodd ei llygaid, a phan welodd hi fi yno yn ei basged, edrychodd i fyny i'r nefoedd.

'O, diolch! Diolch!' llefodd Miss Sopi a Dwl. 'Diolch am anfon yr union beth ro'n i isio – peth bach meddal a blewog i'w gwtsio, yn union fel Twffyn.'

Yn union *fel* Twffyn?

Oedd hi'n meddwl fy mod i wedi cael fy anfon o'r nefoedd? Pa mor hurt *ydi'r* hogan yma?

Ond hei! Ddylwn i ddim gwneud hwyl am ben Mali. Gallwn fod wedi syrthio i mewn i rywbeth llawer iawn gwaeth na basged wellt gyda chlustog meddal ynddi.

Aeth Mali â fi i mewn i'r tŷ – ac roedd hi wedi dweud y gwir. Hufen! Tiwna! (Doeddech chi erioed yn disgwyl i mi fynd adra i fwyta bwyd cath sych a hwnnw'n hen fel pechod?)

Yna eisteddodd Mali i lawr a mwytho
fy ffwr, wrth iddi drio meddwl am enw
i mi.

'Pwsi-wsi-cins?'

Wrth gwrs, Mali – os wyt ti isio fy
ngweld i'n chwydu dros y clustog bob
tro y byddi'n ei ddweud o.

'Babi bach mwnshi-wnshi-cins?'

Tria fo – os wyt ti am i mi dy grafu di.
Yn ddifrifol wael.

'Dwi am dy alw di'n Sioned!'

*Sioned?* O ba blaned mae hon wedi
dod? Cwrcath ydw i, yn un peth.
A pheth arall, a oes unrhyw un ar wyneb
y ddaear *erioed* wedi clywed am gath o'r
enw Sioned?

Ond roedd yr hufen yn ffres. Ac roedd
y tiwna'n flasus dros ben.

Felly, roedd Sioned am aros yno.
O, oedd, roedd Sioned yn gyfforddus
iawn, ac yn gynnes, a'i bol yn llawn.

Roedd Sioned yn bendant am aros
yno.

## 8: *Pwsi fach fwyn*

IA, DYNA CHI. Chwarddwch.
Falla fy mod i'n edrych fel rêl hogan
yn y foned fach les 'na. Ac roedd
coban ffriliog y ddoli'n rhy fawr i mi.
Be ydach chi am ei wneud? Fy rhwystro
rhag cymryd rhan mewn Sioe
Ffasiynau?

   Roedd bod yn Sioned yn hwyl, doedd?
Pryd bwyd deirgwaith y dydd!
(Tri phryd y dydd! Wythnos arall, a
basa'r goban honno wedi fy ffitio i'r
dim.) Mi ges i stecsan, hadog, cyw iâr a
darnau o selsig.

Meddyliwch am eich hoff fwyd, ac
am fysedd bach cariadus yn eich bwydo
chi, fesul cegiad, ac mi wnewch chi
ddeall pam arhosais i yno.

Yr unig boen oedd y gweiddi
diddiwedd a ddeuai o drws nesa.

'Twffyn! Twff-yyyyn! Ble WYT ti?'

Rhoddodd Mali fi'n ôl yn gyfforddus
yn y fasged wellt, cyn sefyll ar flaenau ei
thraed a sbecian dros y gwrych.

'Mae'r ficar yn dal i chwilio,' meddai hi wrtha i'n drist. 'Twffyn druan! Mae o'n dal i fod ar goll. Gobeithio ei fod o'n gynnes ac yn glyd, ac yn cael digon o fwyd, ble bynnag mae o.'

Y tu ôl i ti'n canu grwndi, dyna lle mae o!
Trodd ata i. 'O, Sioned! Dwi mor hapus dy
fod di yma.'

Cefais wasgiad galed ganddi a wnaeth i
mi fewian yn uchel. Sŵn hurt i'w wneud,
a rhywun yn chwilio am gath yr ochor
arall i'r gwrych.

Daeth ei ben o i'r golwg. 'Rwyt ti wedi
dod o hyd iddo fo!'

Arhosais i yng ngwaelod y fasged.

Falla fod Mali'n garedig, ond dydi hi
ddim yn glyfar iawn. 'Pwy?'

'Twffyn!'

'Na. Fy nghath i oedd yn mewian.
Sioned.'

'*Sioned*?'

'Anrheg oedd hi.'

O leia wnaeth hi ddim dweud 'Anrheg
o'r nefoedd'. Basa fo'n siŵr o amau'n fwy

fyth. Roedd o'n sbio'n ddigon cam arna i
fel roedd hi.

Cuddwisg! meddyliais, gan wenu'n wirion yn fy masged.

Roedd y foned a'r goban wedi'i ddrysu fo ychydig, ond dyma fo'n mentro beth bynnag. 'Mae ei wyneb o'n debyg i un Twffyn.'

Canu grwndi'n glên wnes i.

'Ond dwi erioed wedi clywed Twffyn yn gwneud sŵn fel yna, chwaith.'

(Na, fasat ti ddim, mêt!)

Fflachiodd llygaid y ficar. 'Mali,' meddai. 'Fasa ots gen ti taswn i'n cynnal prawf bychan, er mwyn sicrhau nad Twffyn ydi o?'

Daeth y ficar drwy'r giât a'm codi o'r fasged.

Sôn am brofion! Mae rhai'n gorfod cerdded drwy dân. Eraill yn cael eu hanfon ar fordaith am saith mlynedd.

Eraill wedyn yn gorfod gwneud eu
ffortiwn. Ac mae rhai'n gorfod lladd
dreigiau, neu chwilio am y Greal
Sanctaidd.

Does yna neb *erioed* wedi cael prawf fel hwn.

Cododd o fi o'r fasged.

Gan fy nal reit i fyny.

Syllodd i fyw fy llygaid. (A minnau i'w lygaid yntau.)

'Pwsi neis! Pwsi–wsi fach ddel!'
meddai'r ficar.

'Pwsi fach addfwyn!' meddai.

'Pwy sy'n ddigon o ryfeddod, yn ei
boned a'i choban?' meddai.

A'r unig beth wnes i oedd canu grwndi.
Rhoddodd o fi'n ôl yn y fasged.

'Ti'n iawn,' meddai wrth Mali.
Nid Twffyn ydi o. Ac alla i ddim
meddwl pam wnes i amau mai fo oedd o
yn y lle cyntaf.'

Ffiw!

Mwy o hufen. Mwy o diwna.
Nefoedd! Dyma'r bywyd!

## 9: Cael fy nal

DOWCH RŴAN. Byddwch yn onest.
Fasech chi ddim wedi mynd adra
chwaith. Basech chi hefyd wedi aros
yno drwy'r wythnos, fel y gwnes i, yn
stwffio'ch bol ac yn mynd yn dewach ac
yn dewach.

Erbyn nos Sadwrn, ro'n i gymaint â
chasgen. Roedd fy nghoban wedi
dechrau rhwygo. Ro'n i'n chwyddo
allan ohoni.

A dyna pryd aeth y criw i chwilio
amdana i.

Craffodd y tri i mewn i'r fasged.

'Twffyn? Twffyn, ai chdi sy 'na?'

O, y fath gywilydd! Newidiais fy llais.

'Naci,' eglurais. 'Sioned ydw i.
Cyfnither Twffyn.'

Syllodd Bela ar y ffwr yn chwyddo
allan o'r goban.

'Be sy 'di digwydd i Twffyn, 'ta? Wyt
ti wedi ei *fwyta* fo?'

Sbiais yn gas arni hi. 'Naddo.'

'Ble mae o, felly?'

Codais fy ysgwyddau. Falla'n wir mai dyna'r peth mwyaf egnïol i mi wneud ers bron i wythnos. Beth bynnag, rhwygodd y goban eto, a daeth mwy fyth ohona i allan drwy'r ochrau.

'Beth ydi hyn – *strip-tease*?' meddai Meri Mew, gan ychwanegu'n bowld, 'Pws Pwdin!'

Yna roedden nhw i gyd wrthi.

'Bolgath!'

'Hipo tew!'

Gwgais arnyn nhw, gan wneud y sŵn lleiaf. Y *lleiaf*. Mynnodd pawb wedyn mai fi ddechreuodd yr holl beth. Ond wnes i ddim. Allech chi ddim galw'r sŵn yn hisian. Roedd o'n debycach i ganu grwndi.

Dwi'n beio Bela. Ddylai hi ddim fod wedi fy mwytho â'i phawen. 'Dowch, hogia! Beth am gael hwyl efo'r hwch dew yma nes i Twffyn gyrraedd?'

Felly, rhoddais glamp o swaden iddi efo fy mhawen.

Felly, cefais glamp o un yn ôl ganddi hi.

A dyna sut dechreuodd yr holl halibalŵ. Un dda oedd hi, hefyd, efo darnau o ffwr a thameidiau o'r goban yn fflio i bob cyfeiriad. Ar un adeg roedd rhubanau'r foned bron â fy nhagu, ond llwyddais i'w thynnu, a mynd i'r afael efo'r tri ohonyn nhw eto.

Ond yn sydyn, pan oedd fy nghuddwisg yn ddarnau mân dros y lawnt, sylweddolodd pawb beth oedd beth.

'Hei, hogia! Twffyn *ydi* o, wedi'r cwbwl! Twffyn ydi o!'

'Hei – Twff! O'r diwedd!'

'Dyma chdi!'

A dyna pryd daeth Mali i'r ardd, yn cario fy nhrydydd pryd bwyd.

Camodd y lleill yn ôl yn barchus i gyd.

'Hufen ffres!' ochneidiodd Bela.

'Tiwna go iawn!' sibrydodd Teigar.

'Llwythi!' meddai Meri Mew.

Ond y tro hwn ni roddodd Mali'r
bwyd i lawr o'm blaen.

'Twffyn,' meddai wrtha i'n ddigon cas.

'Be wnest ti efo Sioned?'

Ceisiais edrych yn Sioned-aidd. Ond doedd hynny ddim yn gweithio heb y foned a'r goban.

Edrychodd Mali o'i chwmpas. Ac mae'n rhaid i mi gyfadde, os oeddech chi'n disgwyl gweld eich anifail anwes

bach newydd, roedd pethau'n edrych yn
eithaf drwg. Darnau o ffwr a
thameidiau o goban a boned dros y lle.

   'O, Twffyn, Twffyn!' sgrechiodd.
'Y gath ddrwg, ddrwg! Rwyt ti wedi
rhwygo Sioned yn ddarnau a'i bwyta hi!
O'r *anghenfil* i ti!'

Diflannodd y lleill i gyd gan fy
ngadael ar ben fy hun.

'Anghenfil wyt ti, Twffyn! Anghenfil!
*Anghenfil!*'

# 10: Diwedd y stori

FELLY MAE HYNNA'N helpu i egluro'r holl ffwdan a fu pan gyrhaeddodd y teulu adra a dod allan o'r car.

'Twff-yyyyn!' bloeddiodd Elin, pan welodd hi fi drwy giât agored tŷ Mali. Rhedodd amdana i. 'Twff-yyyyn!'

Yna sylwodd ar Mali'n crio a nadu.

'Be sy'n bod?'

'Y carchar ydi'r lle i dy gath di!' sgrechiodd Mali arni. 'Nid cath ydi dy gath di. *Mochyn* ydi dy gath di. *A bwystfil! A llofrudd!*'

Ceisiais edrych yn giwt a Sioned-aidd eto.

Roedd llygaid Elin fel dwy soser. Edrychodd arna i'n siomedig, ei llygaid yn llawn dagrau. 'O, Twffyn!' sibrydodd mewn braw. 'Beth *wnest* ti?'

Wel, yn wir! Mae teuluoedd i fod i achub cam ei gilydd, yn dydyn? Ond dyna lle roedd Elin yn barod i goelio'r gwaethaf amdana i. Mond am fod ei ffrind gorau'n dyfrio'r lawnt efo'i dagrau, ac oherwydd bod tameidiau o goban dros y lle.

Roedd hyn wedi fy mrifo. Dechreuais i gerdded i ffwrdd efo fy nghynffon i fyny a fy nhrwyn yn yr awyr.

A mynd y ffordd anghywir! Yn syth i mewn i freichiau'r ficar.

'Dyma ti!' meddai hwnnw, gan gydio yndda i cyn i mi sylweddoli ei fod o'n llechu'r tu ôl i'r goeden gellyg. 'Dyma ti!'

A dyna pam, pan ddaeth mam Elin
drwy'r giât o'r diwedd, y gwelodd hi'r ficar
yn gafael ynof fel na ddylai unrhyw un sy'n
hoffi cathod gydio mewn unrhyw gath.

Ac yn syllu arna i efo cas perffaith.

Ac yn deud pethau na ddylai unrhyw
ficar eu dweud, yn fy marn i.

Byth.

Chaiff o mo'i wahodd i fy ngwarchod
i eto.

Oes yna rywun yn malio?
Nagoes. Do'n i ddim yn meddwl.
Hww-yyl fa-awwr!

ANNE FINE

Dyddiadur
Pwsi Beryglus

Addasiad Gordon Jones

RILY

www.rily.co.uk

# I ddod yn fuan . . .

ANNE FINE

Dial y Bwsi
Beryglus

Addasiad Gareth F Williams

RILY

www.rily.co.uk